献给莱维与维尔马，是你们让我的世界绚丽多彩。

——特雷莎·谢迪娃

图书在版编目（CIP）数据

鼹鼠摩尔的彩色冒险 / （捷克）特雷莎·谢迪娃著 ;
张慧哲译. — 福州 ：海峡文艺出版社，2022.11
ISBN 978-7-5550-3118-5

Ⅰ. ①鼹… Ⅱ. ①特… ②张… Ⅲ. ①儿童故事—图
画故事—捷克—现代 Ⅳ. ①I524.85

中国版本图书馆CIP数据核字(2022)第175417号

Published by arrangement with Thames & Hudson Ltd. London
Mole in a Black and White Hole © 2021 Thames & Hudson Ltd. London
Text and illustrations © 2021 Tereza Sediva

This edition first published in China in 2022 by Ginkgo (Shanghai) Book Co., Ltd Shanghai
Chinese edition © 2022 Ginkgo (Shanghai) Book Co., Ltd

本书中文简体版权归属于银杏树下（上海）图书有限责任公司
著作权合同登记号：图字13-2022-068

鼹鼠摩尔的彩色冒险

[捷克] 特雷莎·谢迪娃 著；张慧哲 译

出　　版：海峡文艺出版社　　　　　　　　出 版 人：林　滨
责任编辑：陈　瑾　　　　　　　　　　　　编辑助理：卢丽平
地　　址：福州市东水路76号14层
电　　话：（0591）87536797（发行部）
发　　行：北京浪花朵朵文化传播有限公司

选题策划：北京浪花朵朵文化传播有限公司　　出版统筹：吴兴元
编辑统筹：杨建国　　　　　　　　　　　　特约编辑：周雪莲
营销推广：ONEBOOK　　　　　　　　　　　装帧制造：墨白空间·黄海

印　　刷：鹤山雅图仕印刷有限公司
经　　销：新华书店
开　　本：787毫米×1220毫米 1/16
印　　张：2.25
字　　数：27千字
版次印次：2022年11月第1版 2022年11月第1次印刷
书　　号：ISBN 978-7-5550-3118-5
定　　价：53.00元

官方微博：@浪花朵朵童书
读者服务：reader@hinabook.com 188-1142-1266
投稿服务：onebook@hinabook.com 133-6631-2326
直销服务：buy@hinabook.com 133-6657-3072

后浪出版咨询（北京）有限责任公司　版权所有，侵权必究
投诉信箱：copyright@hinabook.com　fawu@hinabook.com
未经许可，不得以任何方式复制或者抄袭本书部分或全部内容
本书若有印、装质量问题，请与本公司联系调换，电话010-64072833

浪花朵朵

鼹鼠摩尔的彩色冒险

［捷克］特雷莎·谢迪娃 著　张慧哲 译

海峡出版发行集团
海峡文艺出版社

鼹鼠摩尔住在地底下一个深深的洞里。

这里虽然阴暗又潮湿，但也是他的家。

摩尔身边没有家人，只有一个朋友——
一盏明亮的粉红色萝卜灯。

摩尔最开心的事，是跟这个朋友聊天，

他爱朋友身上那鲜艳的色彩。

有时候，摩尔会想：

要是探出头去看一看，是不是会看到一个更大的世界？

但是，他胆子太小了，不敢离开自己这个小小的洞穴。

摩尔也曾试着勇敢一点。他扒开泥土往上钻，

结果刚碰到一条虫子，就吓得跳脚，

立刻跑回了洞里，跑回了朋友身边。

这条虫子，就是他知道的一切。

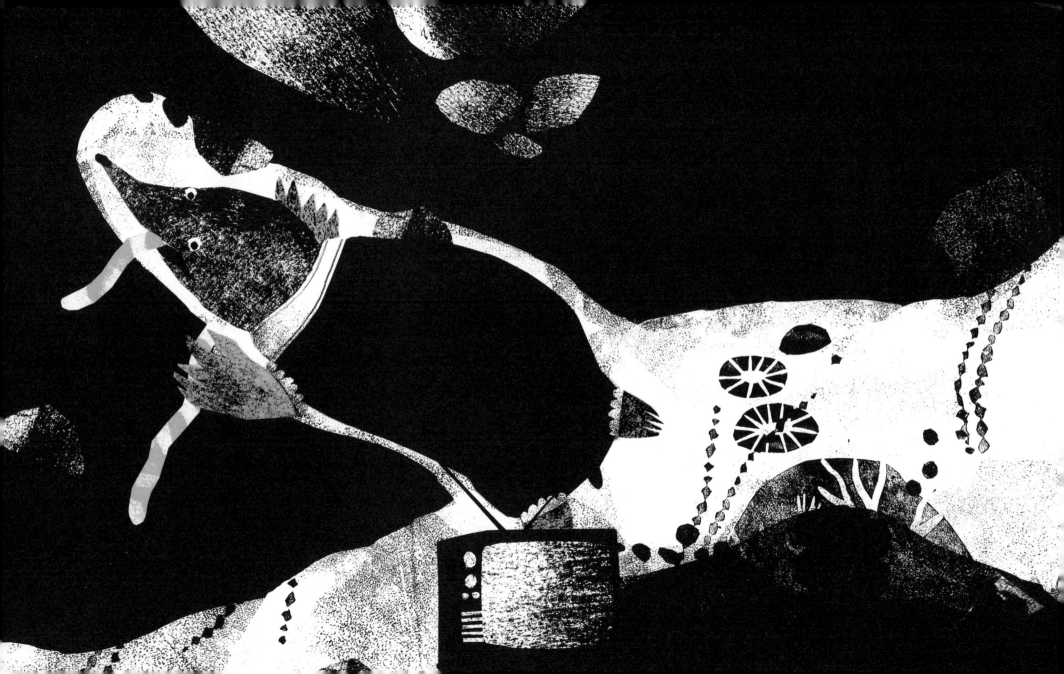

萝卜灯劝摩尔再试一试。

"上面有好多色彩、好多生命，
但是要想发现它们，你就必须去寻找。"

"上面树木繁茂，花朵盛开，
我全都看见了！我的叶子就是我的眼睛。"

摩尔不太相信。

"一整年都是这样吗？"

他怀疑地问，

"上面一直都是这样吗？"

"当然不是啦！"萝卜灯说，
"金灿灿的太阳会把花朵晒成油亮亮的果实，
五颜六色的鸟会来吃。"

"那果实被吃光了之后呢？"
摩尔问，"太阳又会晒着谁呢？"

"太阳总能找到东西晒的。

有时候，会有像彩虹一样七彩斑斓的衣服，

挂在外面等着晒干。"

摩尔低下头，看着自己身上毛茸茸的黑色外套，
叹了一口气。

"太阳让所有东西都美丽起来。"

"太阳出来之后，
城镇里的房子
都闪着五彩缤纷的光。"

"太阳总在晒这个，晒那个，

肯定累坏了。"摩尔说。

"噢，还有月亮呢。"萝卜灯说，

"在天空中，它会和太阳擦肩而过。

每次它们相遇的时候，

太阳都会非常害羞，

脸蛋红红的，洒下粉色和橙色的光，

然后藏到山背后去。这时，夜晚就来临了。"

"然后一切就又变成了黑色和白色的。"
摩尔心满意足地说。

第二天，一束温暖的阳光照在摩尔的脸颊上，
把他照醒了。
他睁开眼睛，却什么都看不见——
太亮了。

实在是太亮了，所以，过了一会儿，

他才发现，他的朋友……

他心爱的萝卜灯不见了!

摩尔的世界好像变得无比黑暗。

他哭啊,哭啊,哭得眼泪都流光了。

但是这个时候,他想起了朋友说过的话……

他开始四处看。

"要想发现色彩，我就必须去寻找。"

他看了看毯子底下。

他看了看大大小小的石头底下。

他往洞穴深处挖了挖，

又往洞穴两边挖了挖……

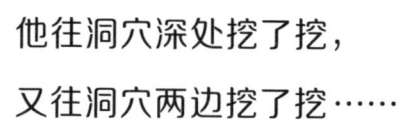

所有的地方都试过了，
摩尔决定勇敢一点。
他从朋友留下的那个孔
钻到洞穴上面。

把头探出去的那一刻，摩尔大吃一惊。

夜晚并不像他以为的那样只有黑色和白色。

银色的月亮像颗珍稀的宝石一样发着光，
城里的一扇扇窗子，灯火闪烁，
点亮了夜色。

摩尔目瞪口呆地看着……

天亮了。

这个世界瞬间就被各种色彩填满了。

不，不只是色彩。

这个世界要被各种奇迹填满了。

小鸟在唱歌，

空气中弥漫着花香。

摩尔感觉自己活力十足。

这个世界跟他那小小的黑暗洞穴，

可真是大不一样。

摩尔想到一个绝妙的主意。

他逛了一圈，

捡起一些五颜六色的东西。

回到洞穴之后，摩尔发现，
生活不再只有黑色和白色，
他也不再那么孤单了。

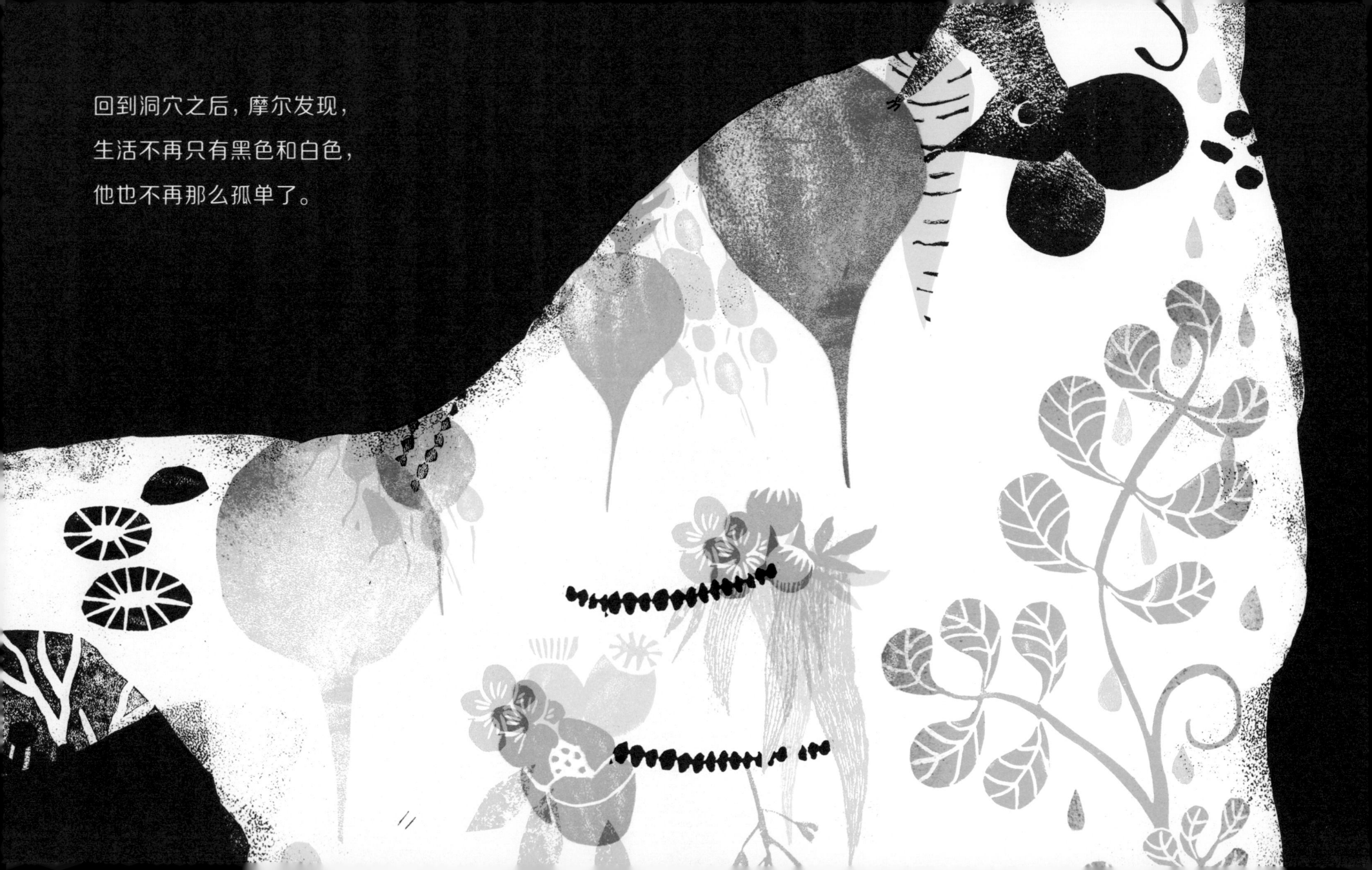

"这下子，我的上上下下、左左右右
都有色彩了。"摩尔开心地说。

他拥有了最美好的两个世界：
一个是他温馨又色彩斑斓的洞穴，
一个是上面挤满新朋友的新世界。

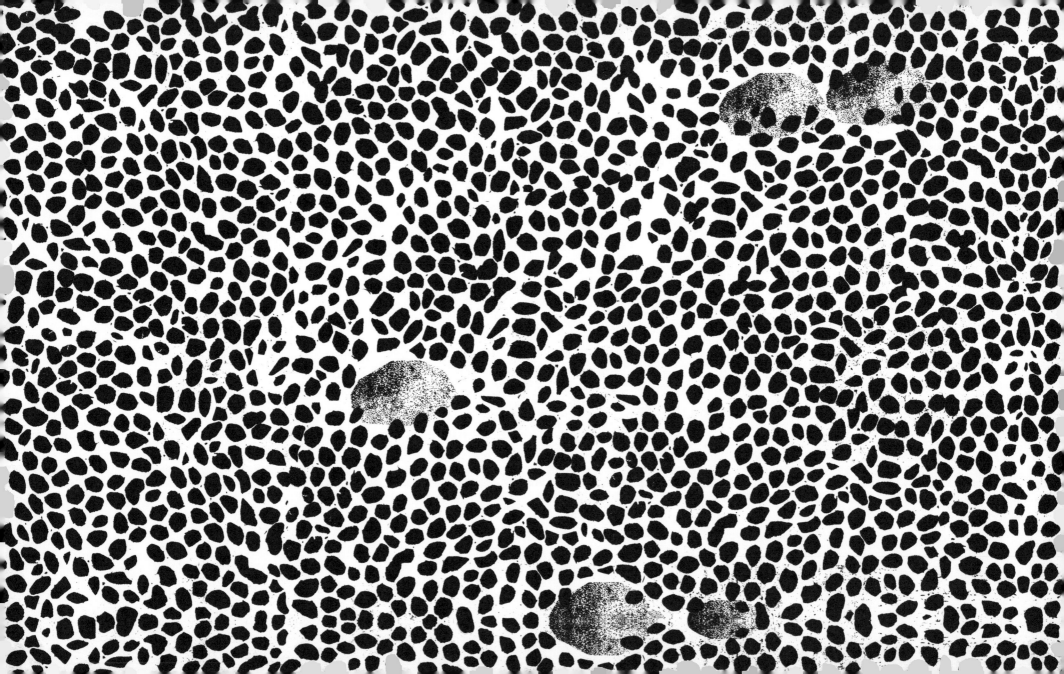